일단,
뭐든 그려보겠습니다.

아이들의 놀잇감

나는 내게 가까운 것들을 보고 그리는게
좋겠다고 생각했다.

육아를 한 뒤로 나의 시간과 공간은 거의
아이들의 놀이와 관련된 것들로 가득찼다.
그 중 놀잇감은 코로나 기간 동안 급속도로
늘어났고, 집 구석 구석 여백의 아름다움은
용납하지 않고 무질서하게 자리를 잡았다.

그래서 나는 그들의 세계를 온전히 받아들이고
사랑하기 위해 어지러운 놀이 현장 속에서
건져 올린 장면들을 그리기 시작했다.
작업을 진행하면서 나는 아이들의 세계를 좀 더
가까이 다가가 들여다 볼 수 있었고, 책에 들어간
거의 모든 글과 그림을 수작업으로 진행함으로써
손그림과 손글씨에 오랜만에 재미를 느끼게 된건
또 하나의 큰 수확이었다.

일단, 뭐든 그리고 제작해본 이 책은 아이들의 세계를
담은 작업의 결과물이자, 그들이 만들어낸 소중한 순간
들의 기록이 되었다. 혹시 소재를 찾아 오랫동안
서성이는 창작자가 있다면 나의 경험을 공유하고 싶다.
가장 가까운 곳에 들여다 보면 사랑을 주고 이야기가
될 만한 것들이 분명히 있을거라고.

사용한 도구들

곤충들

공룡시대

탈것들

미술놀이

블럭놀이

동물 친구들

역할놀이

음악놀이

바깥놀이

그 외

사용한 도구들

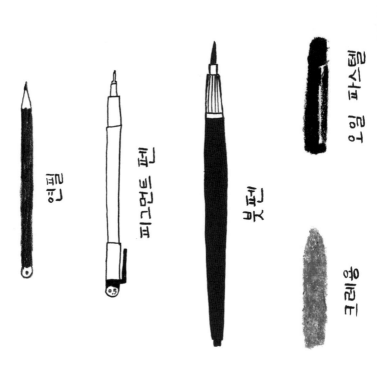

연필

피그먼트 펜

붓펜

오일 파스텔

그래용

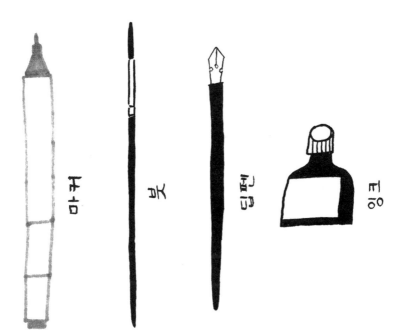

마커

붓

딥펜

잉크

곤충들

사육통 속 장수풍뎅이의 빈자리에
동물 모형들을 놓으며 놀곤 했다.

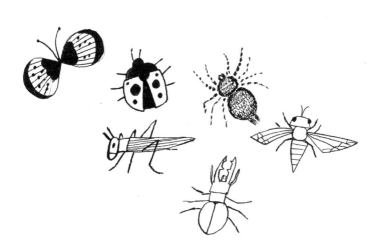

비닥에 놓인 곤충모형을 보고
소스라치게 놀란적이 있다.

"어미 잡으러 갈께-?"
여름은 잠자리채의 계절이다.

공룡시대

"공룡은 왜 없어졌어?
죽는다는 게 뭐야?"

공룡을 특히 좋아하는 녀석이 요즘은
잘때 청겨서 침실에 들어간다.
이케아 상어 인형이 단종된다고 했을때
청원까지 올라왔다는 기사를 본적이 있다.

크앙!

"브리키오는 채소 많이 먹고 키겠어?"

"공룡 박물관 만들고 싶어!"

탈것들

" 이건 무슨 경찰차이드? "

부산 할머니, 할아버지와
처음으로 장난감가게에 방문하다.

"굴착기 바퀴 어디 갔지?"

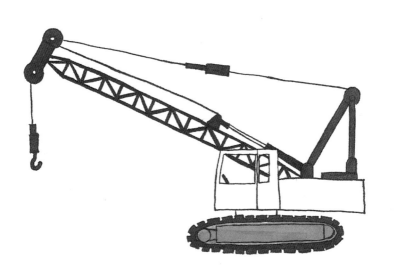

그릴수록 재있는 중장비 장난감.

오일 조밀한 요소들을 그리고 있으면
계속 중장비만 그리고 싶은 마음요 생긴다.

레미콘은 Ready Mixed Concrete의 줄임말.
이이들의 첫을 보다보면 아는척 할수 있는게
많아진다.

가지고 놀지 않던 장난감을 동생 물려줄까 하고
물어봤더니 잠도 안자고 놀잇감들을 정리한다.
그냥 더 두기로 했다.

정리정돈이 안되어 있는 놀이공간에
서로 다른 세계관의 충돌 지정이 생긴다.

출동합니다. 부릉부릉~

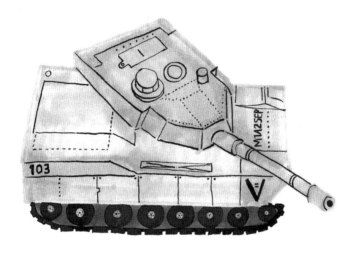

5000원의 행복.

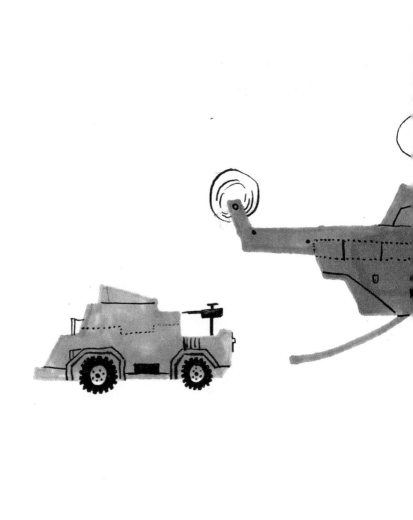

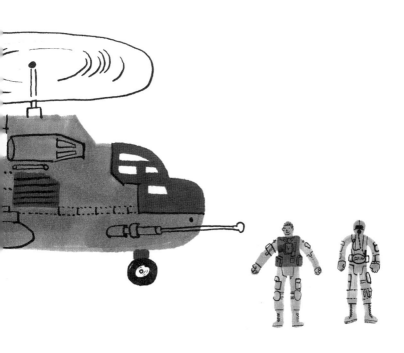

쌍둥이가 기다리는
성일, 어린이날 그리고 크리스마스!

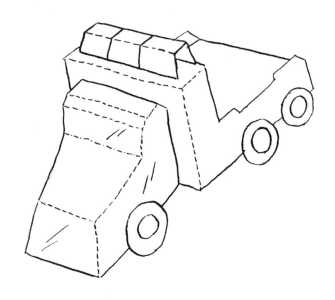

색칠놀이 책 뒷편에
수록된 자동차 접기도면.

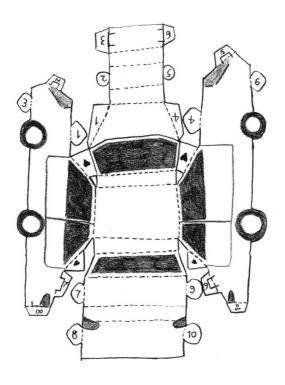

기-위질은 생각보다 더 어렵다.

"빨간 불은?"

"위험한 거!"

"노란 불은?"

"조금 위험한 거!"

"그럼 초록불은?"

"안 위험한 거!"

비타민을 사먼 따라오는 타요.
타요를 사먼 비타민이 오는건가.

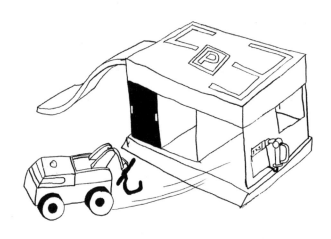

이케아엔 오너 갈때아다
서로운게 있는거지!

소방차가 되는 로이!
이걸 변신로봇에엔 빠지지 않았다.

레일을 길게 연결하고,
주변으로 집모양, 나무모양등 블럭을두며
꾸며준다. 제일 앞엔 배터리로 굴러가는
기차를 두고, 뒤로 여러개의 기차를 연결하면
어느덧 기차가 다니는 마을이 만들어진다.

아이들과 기차 마을을 만들면 나도
함께 어린아이의 마음으로 돌아가 있는 것을
발견한다. 기차가 주는 특유의 감성이 있다.

공구함의 첫여러가지 공구를 이용하여
트럭을 만든다.

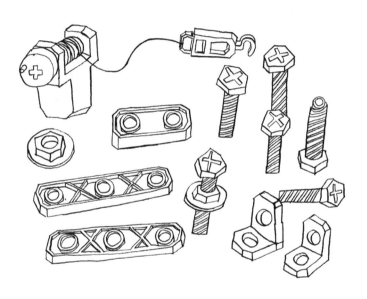

멋 일이 지나면 많은 부품들이 사라진다.
어디로 간 걸까.

미술놀이

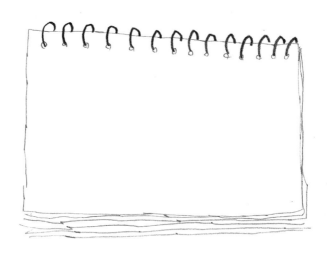

"너 어렸을적엔 스케치북만 쥐어주면
종일 집에서 그림그리고 놀았어."
나의 엄마가 말했다.
흠... 난 집에서 노는게 지겨워서
밖으로 뛰쳐 나갔던 기억이 더 많은데...

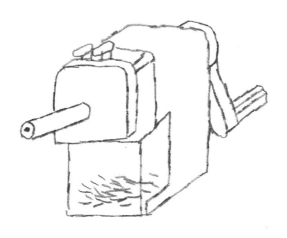

아이들의 연필깎이는 작고 귀여웠다.
대신 가벼워서 연필을 넣고 돌리면서
깎을 떼여 힘이 부족하고 마구 흔들렸다.
어릴적 기차오양의 든든했던 연필깎이가
생각났다.

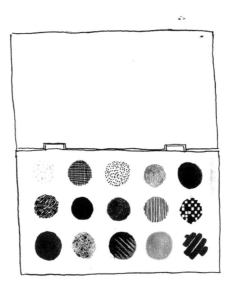

물라 붓을 달라고 하길러
어떤 그림을 그릴까 기대했는데

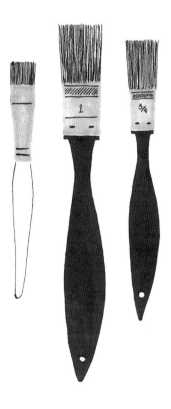

거실을 물바다로 만들었다.

물고기 가위.
아이들은 가위질과 테이프질을 좋아한다.

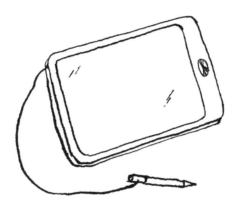

그리고 지우고를 반복할 수 있는
드로잉 패드. 그리고 그리기 노동은
무한 반복되었다.

둑둑 부러지고 손에 묻어나도
크레파스 만의 진한 매력이 있다.

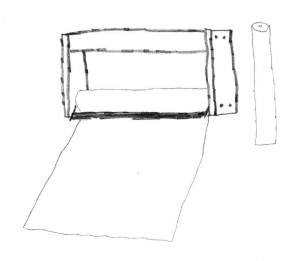

필요한 만큼 빼서 그림을 그리는
롤페이퍼인데, 우리애들은 그냥 푸는게
재미있는 종이 일뿐이다.

블럭놀이

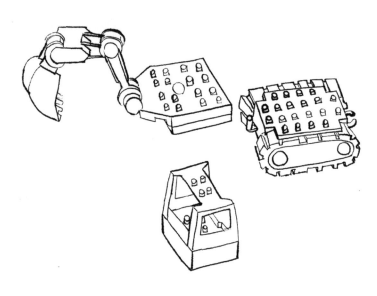

단 세, 네가지 모듈로
굴착기를 만들 수 있는 레고 블럭

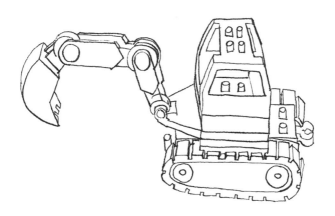

포크레인 정식 명칭은 굴착기이고,
영어로는 excavator.

여기서 또 발견된 세계관 혼합의 현장.

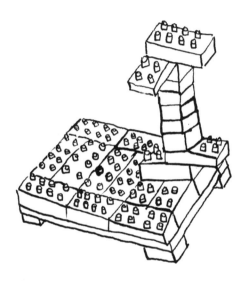

"이거 전시할래요. 치우지 마세요~"

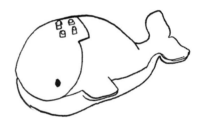

엄마 고래의 입을 열면 아기고래가
들어갈수 있다. 몇번 넣어 보더니
"엄마, 나도 엄마 뱃속에 있었잖아!"

호박마차를 탄 공주가 있는 레고세트가
크리스마스 선물로 도착했다. 어른들은
당황했고 아이들은 그저 잘 가지고 논다.

다시는 원래 오늘으로 돌아갈수 없을
아빠의 레고 토이스토리 기차 세트

커릭터들은 살아남았다.

어지럽히고, 정리하고
결국 창과 방패의 대결

방패는 쉬엄쉬엄 일하기로 마음먹었다.

2대째 전해지는 와플블럭이다.

울타리를 만들고 공룡을 넣어둔다.
말이 안되는 이야기들은 여러갈래로
뻗어간다.

밟으면 정말 아프다.

네모, 세모, 동그라미 만 스스로
만들었을 뿐인데 크게 기뻐한다.

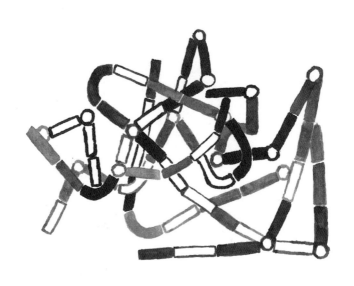

물려받은 자석 장난감은 아이들의 외조 할머니가
언젠가 누군가에게는 쓸모가 생길거라고
생각하고 남겨두었을 것이다.

"엄마! 낚시대로 상어를 잡았어요!"

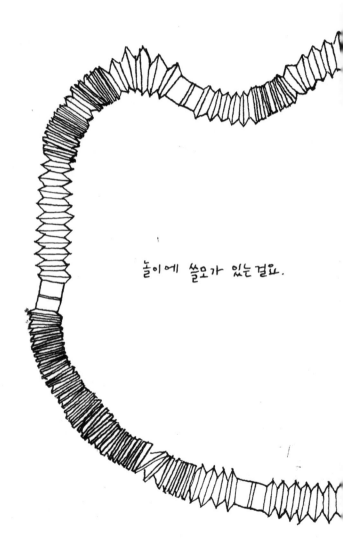

놀이에 쓸모가 있는걸요.

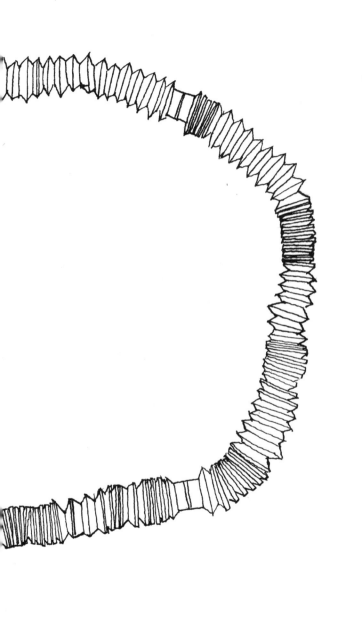

동물 친구들

리모컨으로 움직이는 꽤나 진짜같은 지네.
나는 싫다...

흐물거리고 쭉쭉 늘어나고 칭칭감고 사람들을 놀리게한

동물에 관련된 것들로 가득한 집이 되었다.

아이들은 상어를 참 좋아한다.
나는 고래가 더 멋있고 좋은데.

가오리의 웃는 입.
그 위에 있는 ~~혀~~ 건 눈이 아니라 코라고!

"거북이는 오래 살아요.
입양은 신중해야 합니다. 나보다 오래살아요"

산호초가 동물이라는!
이것 또한 아이들 책에서 본 내용이다.

한 생물도감 전집에서는 소개한 동물들을
집에서 기르는 방법을 알려준다.
그걸보곤 가재를 집에서 키우겠다고
떼를 썼다. 난감했다.

이불 하나 깔아 두었을 뿐인데
그 곳은 바다가 된다.

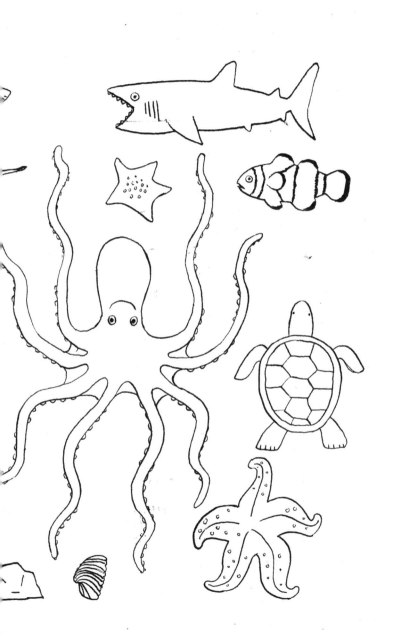

이빨을 누르다 보면 상어가 입을 앙 다문다.
할머니와 이 걸로 깔깔거리며 놀았다.

고래는 상하로 움직이고
상어는 좌우로 움직이며 헤엄친다.

"엄마, 이거 치우지 마세요~"
화장실 문 앞 바닥에 한달째 붙어있는
스티커들. 계속 대열이 바뀐다.

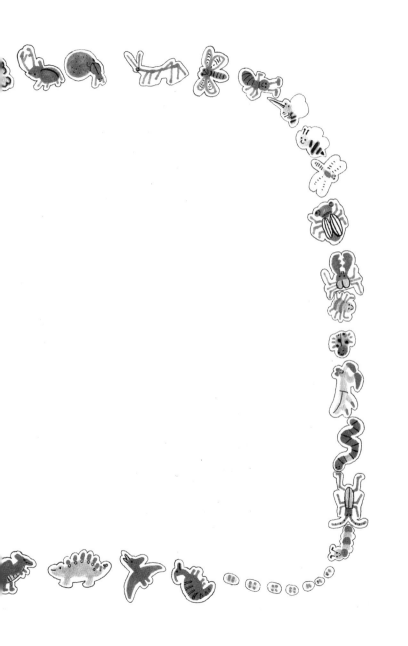

역할놀이

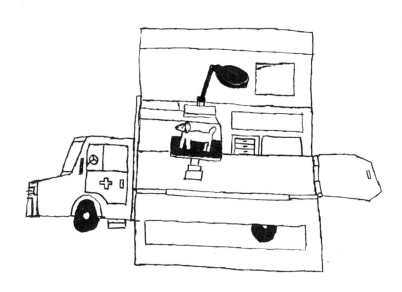

동물들을 치료해주는 구급차입니다 ~

시도 때도 없이 ✹용사흉내를 내는 아이에게
선물했다. 이젠 망토를 사달라고 조른다.

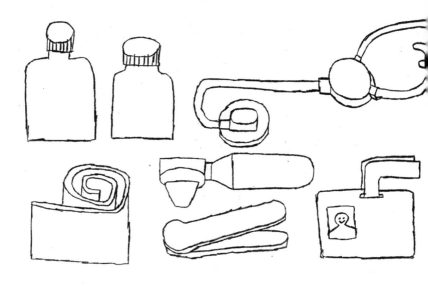

쌍둥이가 둘만의 역할놀이에 빠져들면
난 그 빈틈의 시간을 즐긴다.

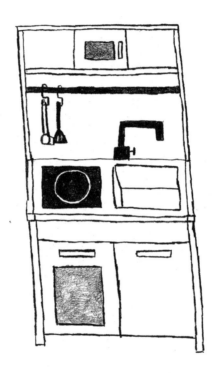

"우리는 계란을 못먹으니까, 계란은 빼도록 할게요~"
식품 알레르기가 있는 아이들의 역할놀이.

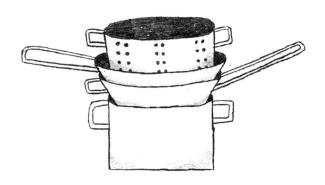

달그락, 달그락
주방놀이 줄입니다~

음악놀이

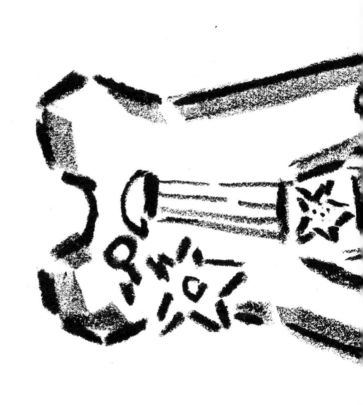

혹시나 고심해서 고른 놀잇감.
취향 저격에 실패하는 경우도 종종 있어.

노래를 부르며 신나게 앞으로 위로 스텝을 밟는다.

트램폴린 옆에 세워두었더니
노래를 틀어두며 신나게 뛴다.

없는 집이 없어 보이던데.
지금도 그런가?

바깥놀이

여기저기의 물놀이에 항상함께한
아기상어 튜브.

높이만 날리려 하면 오히려 실패한다.
멀리 보내는 데 집중하자.

눈오는 날을 상상하면
몽글몽글 귀여운 눈오리떼가 생각난다.

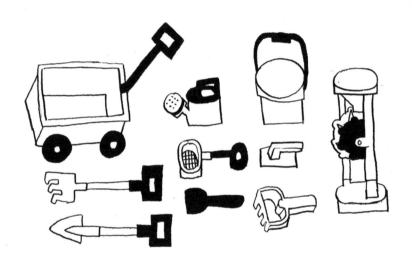

스테디셀러 모래놀이도구.
이름을 꼭 써두어야 한다.

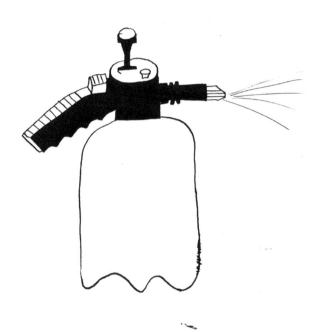

놀이용은 아니지만
모래놀이 할때 유용하다.

모래놀이용으로 구머한건아닌데.

모래놀이용으로 자격이다.

그림이 귀여워서 내가 고른 공이다=

아이들이 공놀이를 하게 될 무렵엔
편해질거란 소리를 들었는데,
우리 아이들은 공에 전혀 관심이 없다.

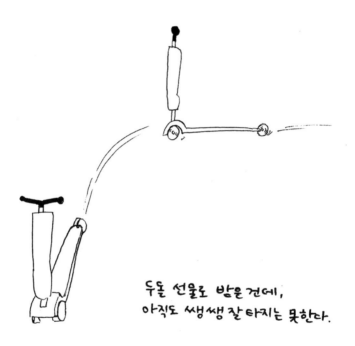

두돌 선물로 받은건데,
아직도 쌩쌩 잘 타지는 못한다.

스피드를 즐기는 편은 아닌것 같다.

눈이 달리면 어쩐지 보내기힘들어진다.

아이들의 삼촌이 첫돌 선물로
사준 욕망의 푹쉬카

그 외

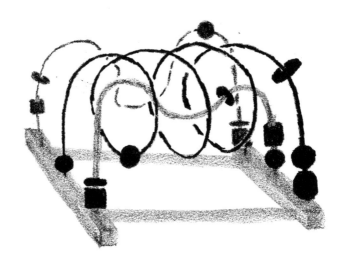

지금은 단종되었다.
이케아의 구슬꿰기 놀이.

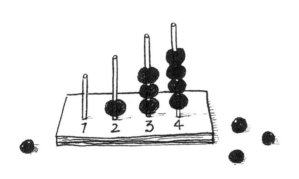

숫자세기 놀이
많은 구슬은 사라졌고,
우리아이들은 아직 숫자세기가 서툴다.

도라에몽은 언제부터 우리집에 있었던걸까

뽀로로, 크롱을 사면 비타민이 따라 온다.

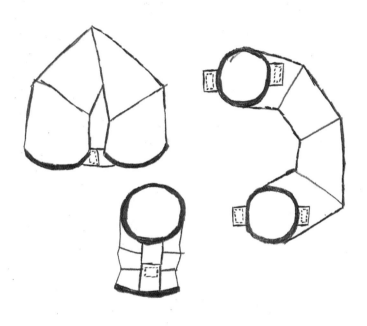

터널놀이, 까꿍놀이, 아이들하기나름.

두개를 얻기위해 아이스크림케이크를 두번샀다.

마트에 갔는데 오전부터 사람들이
줄을서서 포켓몬 빵을 사려고 기다리더라.

나 어릴적에도 포켓몬의 인기가 많았는데,
언젠가 쌍●둥이들도 좋아하려나.

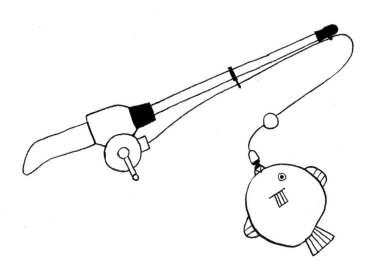

욕조에서 낚시놀이를 즐긴다.

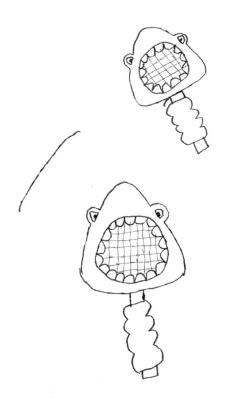

뜰채로 뜨기도 하-고.

코로나 때 선물로 받은 이끄럼틀은
가끔 둘만의 아지트가 된다.

종교로 온 국민문짝은 훌륭하게 임무를 수행하고
나눔으로 우리집을 떠났다.

놀이로라도 버렸으면 하고
냉장고에 붙여둔 한글자-석

한글이 쉬워서 다행이라고 생각이 든다.
세종대왕님 감사합니다.

놀이 끝!

그림.글   장하영   Jang Ha young
-

Instagram : @haiojang
Website : www. haiojang.com
Mail : ohhaio. seoul @ gmail. com